Néanmoins, devant l'insistance
de Patouch, Oscar finit par aller en
traînant les pieds jusqu'à la porte du
jardin. Mais une fois de l'autre côté,
il se demandait déjà ce qu'il était
venu y faire.

Soudain, il entendit au loin un bourdonnement précipité. C'était Mireille l'abeille. Elle semblait fort pressée de savoir si cet intrus en voulait à son miel. Quand il lui répondit que les cafards n'aimaient pas le miel, elle fut rassurée et lui proposa de visiter le jardin.